Oops & Ohla

Dinner's ready!
À table!

Une histoire de Mellow
illustrée par Amélie Graux

I'm hungry.

D'abord
les assiettes.

And here are the forks and knives.

I'm drawing a railway for my sausage train.

Regarde, j'ai fait un volcan dans la purée !

Choo-choo! The train is going into the tunnel!

Paf! Je mange mon beau volcan.

J'ai fini.
J'ai tout
mangé.

And now, my favourite dessert: chocolate mousse.

Ha! Ha! Ha!
Tu as des moustaches!

Et moi, je débarrasse.

Conception graphique : claire!
© Talents Hauts, 2008. 2ème édition : octobre 2008
ISBN : 978-2-916238-22-7
Loi n° 49-956 du 16 juillet 1949 sur les publications destinées à la jeunesse
Dépôt légal : mars 2008
Achevé d'imprimer en Italie par Ercom